W9-ATZ-300

Du même auteur à *l'école des loisirs*

Collection MOUCHE

Journal d'un chat assassin
Radio Maman
Un ange à la récré
Louis le bavard
Assis ! Debout ! Couché !
Le jour où j'ai perdu mes poils
Le chat assassin, le retour
La vengeance du chat assassin
L'anniversaire du chat assassin
Le Noël du chat assassin
Le grand livre du chat assassin

Collection CHUT !

Journal d'un chat assassin
Le chat assassin, le retour
lus par David Jisse

© 2014, l'école des loisirs, Paris, pour l'édition française
© 2013, Anne Fine
Titre de l'édition originale : The Killer Cat Runs Away
(Random House Children's Publishers, UK)
Loi n° 49.956 du 16 juillet 1949 sur les publications
destinées à la jeunesse : janvier 2014
Dépôt légal : juillet 2015
Imprimé en France par I.M.E
à Baume-les-Dames

ISBN 978-2-211-21213-7

Anne Fine

Le chat assassin s'en va

Illustrations de Véronique Deiss
Traduit de l'anglais par Véronique Haïtse

Mouche
l'école des loisirs
11, rue de Sèvres, Paris 6ᵉ

1

Ces stupides bébés roses !

OK, OK. Allez-y, étranglez-moi avec ma propre queue. J'ai craché sur ce stupide bébé. Mais il m'embêtait, allongé dans son couffin plein de fanfreluches, à glousser et à gazouiller. Cette chose se moque de moi. Et personne n'aime ça. Surtout pas moi. On ne m'appelle pas Tuffy-le-dur-à-cuire pour rien. Et je n'ai pas gagné ma réputation de chat assassin en faisant ronron sur un coussin.

Et puis ce bébé m'a mis le doigt dans l'œil. Il aurait pu me blesser. Alors, il peut s'estimer heureux. J'aurais pu le mordre, le griffer. Juste un petit crachat, je ne vois pas pourquoi tout le monde se fâche.

– Tuffy, crie Ellie, éloigne-toi immédiatement de ce bébé !

Et elle se précipite vers l'enfant. Je ne comprends pas pourquoi. Le bébé n'en a rien à faire, il gazouille toujours comme si de rien n'était. On distingue à peine un peu de bave sur son visage. Personne n'a le sens de l'humour dans cette maison. Ils prennent la mouche à la moindre occasion.

– On ne peut pas faire confiance à ce chat, insiste le père d'Ellie. C'est la créature la plus jalouse que la terre ait jamais portée.

Il ne manquait plus que ça. Jaloux ?

Moi ? Jaloux d'une chose incapable de subvenir elle-même à ses besoins ? Il fronce les yeux dans ma direction et demande :

— Tu te souviens de ce pauvre Tinkerbell ?

Ellie pâlit. Bien sûr qu'elle s'en souvient. Tinkerbell était un petit chaton confié à notre famille pendant quatre jours entiers. Vous ne pouvez pas imaginer la comédie à laquelle j'ai dû assister.

— N'est-il pas mignon ? Son poil est si soyeux, si doux…

— Regarde Ellie, Tinkerbell apprend à donner des petits coups de queue.

— Et cette petite langue rose. Maman, viens vite pendant qu'il boit son lait !

– Il n'a pas froid, c'est sûr ? Si tu penses qu'il a froid, tu chasses Tuffy du canapé et tu l'installes à sa place, tout près du feu.

– Je crois qu'il a faim. Et si on lui offrait un peu de crème ?

Lui offrir de la crème. Il n'habite pas encore dans cette maison, il est juste de passage pour quelques jours. Je suis leur animal de compagnie, pas Tinkerbell. Je vis ici depuis des années, depuis qu'Ellie a été assez grande pour les harceler et leur demander un chat. Et ils trouvent ça bizarre que ça me rende un peu grincheux.

Que je ne sois pas prêt à laisser Tinkerbell dormir dans mes endroits préférés.

Et que j'aie mangé sa nourriture,

bien juteuse, spécial chaton, sans le faire
exprès.

Et tous les autres petits désagré-
ments mineurs dont il a souffert et dont
ils m'accusent. Oui c'est sûr, je ne pense
pas que Tinkerbell ait très envie de
revenir quelques jours chez nous.

Il n'y a plus de place de toute façon,
parce que, maintenant, ils préfèrent les
stupides bébés roses.

Et s'ils continuent, je lui recrache
dessus.

2
Moi, un parasite

OK, OK. Recouvrez-moi de confiture et enfermez-moi dans une boîte pleine de guêpes. J'ai cassé leur nouvelle télé-vision. C'est un malheureux accident ! Je n'ai pas voulu que cet écran bascule. J'avais pris un bourdon en chasse, et si cette stupide télé n'avait pas été en plein milieu de mon chemin, je l'aurais attrapé.

Et c'est ma faute si ce nouvel écran plat, immense, haute définition, n'avait pas été bien fixé au départ ?

Oui, c'est ça. C'est la faute du père d'Ellie, pas la mienne. Il suffit d'avoir vu Monsieur Oh-je-crois-que-ça-ira-bien-comme-ça installer l'écran sur son socle, en le serrant de façon approximative, pour savoir qu'il était déjà en mauvaise posture. Il serait tombé même sans mon intervention.

Et c'est ma faute si je n'ai pas réussi un bond magique par-dessus ce nouvel écran ?

Oui, c'est bien ça. C'est la faute de la mère d'Ellie. C'est elle qui me nourrit. Et c'est elle qui me laisse dépasser mon poids de forme, mon poids idéal de saut.

Comme vous le voyez, je n'y suis pour rien.

Vous auriez dû entendre le père

d'Ellie quand il a découvert la catastrophe. Quelle violence !

– Cette télé est fichue ! Des marques de griffes partout, et deux angles ébréchés ! Regardez ce que ce gros, gras, stupide, agaçant, idiot, désagréable, vicieux et dangereux parasite nous a réservé cette fois-ci !

Je vous prie de répéter. *Parasite* ?

Alors là, ce n'est pas gentil. Au cas où vous ne le sauriez pas, les parasites, ce sont ces petites choses comme les lentes, les asticots, les puces ou les tiques qui vivent aux crochets des autres pour subsister. Et je ne suis pas de ce genre-là.

Je ne suis pas un parasite. Comment ose-t-il ? Je ne peux pas supporter une telle insulte. La prochaine fois qu'il va ouvrir son tiroir à caleçons, il va trouver

PARASITES

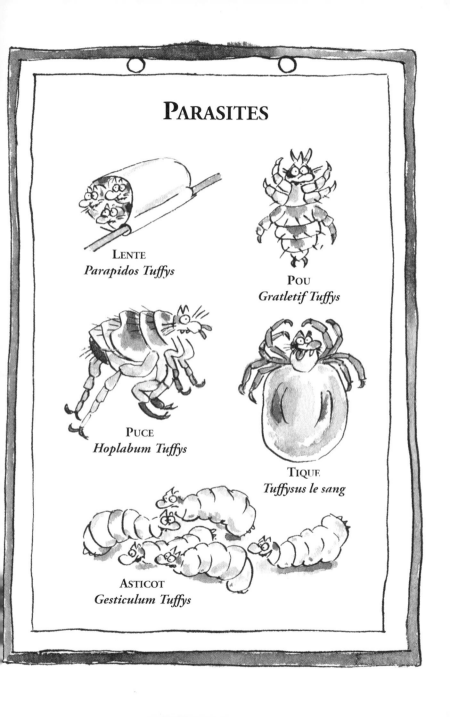

LENTE
Parapidos Tuffys

POU
Gratletif Tuffys

PUCE
Hoplabum Tuffys

TIQUE
Tuffysus le sang

ASTICOT
Gesticulum Tuffys

des poils partout. Et aussi dans ses chaussettes. Et aussi sur ses vestes et ses pantalons. Je peux m'enlever énormément de poils à coups de langue et en mettre partout.

Je vais me venger.

3

Toujours la même discussion au sujet du chat

Cet homme est vraiment très en colère. Je pars faire un tour près des poubelles en compagnie de Tiger, Bella et Snowball. De retour de ma promenade, je les surprends dans ce qu'il appelle « une discussion familiale » et que j'appelle « toujours la même discussion au sujet du chat », que j'ai déjà entendue des milliers de fois.

— Il faut faire quelque chose au sujet de Tuffy.

Les voilà tous les trois, serrés les uns

contre les autres : Monsieur Grincheux, la Reine-mère-amoureuse-des-chatons, et Ellie.

Je m'installe juste derrière la porte et je laisse traîner une oreille. Comme je le fais à chaque fois.

— Bon, commence Monsieur J'adore-regarder-le-foot-à-la-télé-et-je-suis-fou-de-rage, c'est la fois de trop et nous devons trouver une nouvelle maison pour Tuffy.

Comme elle le fait toujours, Ellie éclate en sanglots.

— Non, non, Tuffy est mon chat !

En général, la mère de Tuffy intervient pour prendre ma défense, mais pas cette fois.

— Il est dangereux pour les bébés, pour les chatons…

— Et même pour les télés, insiste lourdement le père d'Ellie, toujours pas remis de la triste perte de sa télé.

Ellie tape du pied.

— Mais c'est mon chat !

Le père d'Ellie se montre beaucoup plus rusé et sournois que les autres fois.

— Ellie, je sais très bien que tu adores ton chat, mais on peut en trouver un autre.

— Oui, ajoute la mère d'Ellie, un autre un peu plus gentil et qui ferait moins de bêtises.

— Peut-être un chaton, dit le père d'Ellie.

— Un chaton comme Tinkerbell, renchérit la mère d'Ellie pleine d'espoir.

— Mais que va devenir Tuffy ? sanglote Ellie.

– Oh, tu sais, les chats, commence Monsieur Je-suis-prêt-à-prendre-les-plus-vils-chemins-pour-y-arriver, ce n'est pas comme les chiens. Ils n'adorent pas leurs maîtres. À partir du moment où ils sont au chaud et que la nourriture est bonne, ils sont contents. Et il y a beaucoup d'endroits où Tuffy serait bien.

Je me penche et je vois la mère d'Ellie approuver ce qui vient d'être dit, installée sur le canapé en velours où j'aime tant me faire les griffes.

– Oui, beaucoup d'endroits où il serait bien mieux que chez nous.

– Oui, nous allons lui trouver une maison où il sera bien.

C'est toujours à ce moment-là qu'Ellie se jette sur le canapé, gémissant, criant, menaçant de quitter cette maison si on se débarrasse de moi, de son animal adoré. C'est à ce moment précis qu'elle est censée leur crier : « Si vous n'aimez pas assez Tuffy pour le garder, c'est que vous ne m'aimez pas ! »

Mais là, rien. Juste un silence.

Un long, long silence.

Le plus long silence de ma vie.

Je passe encore le museau et là, impossible de croire ce que je vois ! Ellie essuie ses larmes et demande :

— Vraiment ? Une maison où il sera très heureux…

— C'est bien ça, dit Monsieur Je-n'ai-jamais-aimé-ce-chat.

— Et je pourrai avoir un autre animal ? Un chaton comme Tinkerbell ?

— Oui.

Est-ce que j'ai besoin de vous dire

ce que j'ai fait juste après ? Je me suis assis derrière la porte et j'ai attendu. Je compte dans ma tête, un, deux, trois, quatre…

Vous voulez savoir jusqu'à combien j'ai dû compter pour entendre Ellie éclater à nouveau en sanglots et prendre ma défense ?

Onze secondes ! Il a fallu onze secondes pour que cette enfant déloyale se souvienne qui était son animal adoré, son merveilleux Tuffy. Le Tuffy qu'elle est censée présenter jeudi prochain, dans le préau de l'école, pour la soirée du « Qui est le plus merveilleux des animaux de compagnie ? » (Oh, oh, elle en a de la chance !) Le Tuffy qu'elle aime « tellement, et depuis toujours, et pour toujours. »

Onze très longues secondes !
Impardonnable !

4

Trouvez-moi une bonne raison de rester

Ce soir-là, j'ai annoncé à la bande :

— Je m'en vais.

— Tu t'en vas ? Mais pourquoi ?

— Parce que je ne suis plus heureux chez moi.

— Qu'est-ce qui se passe chez toi ? demande Tiger. Il fait chaud chez toi ?

— Oui, je suis obligé de l'admettre, oui il fait chaud chez moi.

— Et c'est une maison confortable ? demande Bella.

— Oui, je vous assure que c'est tout ce qu'il y a de plus confortable.

— Et la nourriture est bonne? Même très bonne? demande Snowball.

— Oui, bien sûr, la nourriture est bonne, sinon je serais parti depuis long-temps. Mais donnez-moi une bonne raison de rester.

— Tu veux dire en plus du fait qu'il fasse chaud, que la maison soit confor-table et la nourriture, bonne?

— Oui, en plus de tout cela.

Ils prennent tous le temps de bien réfléchir. Mais aucun d'entre eux ne me donne une seule bonne raison de rester (à part me répéter que chez moi il fait chaud, que chez moi c'est confortable, que chez moi la nourri-ture est bonne).

– Voilà, c'est tout ce que je voulais savoir, dis-je triomphant. Il ne me reste plus qu'une seule chose à faire : m'en aller.

5

Un chapitre de tristes adieux

Je commence ma tournée des adieux. Je dis au revoir à tout ce que j'aime depuis si longtemps.

— Au revoir plante d'intérieur. J'espère que ça ne te manquera pas trop quand je ne serai plus là, à gratter ta terre, comme je le faisais quand dehors le temps était trop pluvieux, trop froid, pour sortir faire mes besoins. (J'essuie une larme.) Tu me manqueras aussi.

J'arrive dans la cuisine.

– Adieu, mon adorée poêle à frire. (Je soupire.) Combien de fois, je me suis installé sur le bar pour lécher la graisse de bacon quand personne ne nous regardait… Nous avons été amis de nombreuses années ma chère poêle à frire, mais c'est fini.

Me voici à l'étage.

– Il est temps de nous séparer cher réveil. Pourtant, nous avons partagé de bons moments. Combien de fois me suis-je faufilé dans la nuit quand Monsieur Je-ne-dois-pas-être-en-retard t'avait bien réglé sur sept heures. Combien de fois ai-je bravé ses ronflements assourdissants pour sauter sur la table de nuit et, d'un coup de patte silencieux, t'éteindre. Et combien de fois avons-nous profité tous les deux de ses cris de

panique quand il se réveillait en retard.
Ah ! cher réveil, tu vas me manquer.

Je me glisse sous le lit, du côté de
Monsieur Non-je-ne-ronfle-pas-je-res-
pire-fort.

– Adieu chaussons. Si je devais
pleurer une larme en mémoire de
chaque souris morte que j'ai cachée
chez vous pour effrayer Monsieur Oh-
quelle-horreur-mais-qu'est-ce-que-
c'est, alors une rivière coulerait sous ce
lit. Au revoir.

Et je redescends pour voir le piano.

– *Adiós*, ami musicien. Demain je
ne marcherai plus sur ton clavier, plus
de *plincs* et de *pluncs* qui rendaient fou
tout le monde. Nos heures heureuses
sont derrière nous. Je m'en vais de par
le monde et nous ne finirons jamais

notre œuvre, *Le Concerto de Tuffy pour piano et quatre pattes.*

J'ai eu envie de partir sur les notes de ce doux morceau. Alors, je me suis promené une dernière fois sur le clavier. (Ce que j'aime c'est enfoncer les touches noires, le son est plus sourd. Et quand mes pattes glissent sur une touche blanche, je tente un petit saut, et hop ! je tape sur la prochaine noire.)

— Mais c'est horrible !

Oups ! Monsieur Je-n'aime-pas-du-tout-la-musique pointe son nez dans le salon.

— Descends tout de suite de ce piano !

Au passage, un petit coup de griffe.

— Aïe !

Il me regarde avec colère, je le regarde avec colère.

C'est sûr, c'est la seule personne avec qui je n'ai pas du tout envie d'échanger de tristes adieux.

6
L'heure de la fessée

Donnez-moi une fessée, c'est vrai, je n'ai pas dit au revoir à Ellie. Je voulais le faire. C'est pour ça que j'ai sauté juste à côté d'elle et que j'ai commencé à miauler dans son oreille.

Mais c'est là que j'ai vu ce qu'elle regardait sur son ordinateur.

Des chatons !

Des petites boules de poils. Des petites choses gracieuses aux grands yeux ébahis. Et vous ne me croirez pas si je vous dis leurs noms : Tarte-ausucre, Fille-aux-yeux-menthe-à-l'eau, Douce-pensée, Miss-parfaite. (Excusez-moi un moment je vais aller vomir !)

Ellie contemple la photo d'un chaton appelé Titanic (Non ! Titanic ! Un chat !)

– Oh regarde Tuffy, il est vraiment adorable !

Il est bon, parfois, que je ne sache pas parler. Parce que, si je parlais, j'aurais dit à notre jeune Ellie ce que je pense de ces idiotes boules de poils qui ne savent même pas faire leur toilette, ni s'approcher sans bruit des oisillons dans leur nid. C'est bien que je ne sache pas parler. Je n'aurais vraiment pas aimé que les derniers mots échangés avec Ellie soient désagréables.

Voilà pourquoi je n'ai pas dit au revoir.

7
Des oiseaux morts et
des souris mortes ? Beurk !

Sur le mur, toute la bande m'attend.

— Alors, dit Bella, c'est vraiment sûr, tu t'en vas ?

— Oui, je réponds fièrement. Je ne vais pas rester plus longtemps là où on ne veut pas de moi.

Ils sont tous très inquiets.

— Mais Tuffy, si désormais personne ne remplit ta gamelle, comment vas-tu te nourrir ?

Je réfléchis. Et puis, au bout d'un moment, je réponds :

— Je suis un chat, donc si je ne trouve pas d'autre solution, il me reste toujours la bonne vieille manière.

Ils me regardent, interloqués.

— Tuer des souris et des oiseaux ?

Je crois ne les avoir jamais vus si dégoûtés.

– Des souris mortes et des oiseaux morts ? Beurk !

– Tu plaisantes !

– Et puis, attraper un par un les poils, les plumes et plein d'autres trucs et après manger ces choses ?

– C'est immonde !

– Un vrai film d'horreur !

– L'idée d'un esprit malade !

– Écoutez, des souris mortes et des oiseaux morts, voilà ce que devraient manger les chats.

Ils ne sont pas du tout de mon avis.

– Oui, si on revient un jour à l'âge de pierre.

– Avant que la nourriture pour chat ne soit inventée !

– C'est-à-dire il y a un million d'années.

– Arrêtez ! Quelle bande de mauviettes ! Je me souviens que ma mère me racontait des histoires de mon arrière-grand-père, célèbre chasseur de souris.

– Je parie qu'il les attrapait mais qu'il ne les mangeait pas.

– Je suis sûr qu'il les mangeait !

Tiger ne veut pas me croire.

– Impossible ! Ça rend malade de manger des souris !

– Moi, il me suffit de voir quelqu'un manger une souris pour être malade, ajoute Snowball.

Je ne veux plus discuter. La nuit tombe. Mais, quand j'essaie de partir discrètement, Bella et Snowball m'interceptent.

– Allez, adieu les gars ! L'aven-

ture commence, souhaitez-moi bonne
chance.

— Pense à nous Tuffy !

— Ne nous oublie pas Tuffy. Nous
ne t'oublierons jamais.

— Non, jamais.

8

Tuffy, musicien des rues

Je décide d'aller là où personne ne me connaît. Je ne veux pas être regardé de travers par tous les curieux :

— Mais, c'est le chat de la rue des Acacias, celui qui a déterré mes pétunias ! Je vais te raccompagner chez toi.

Donc, je vais bien plus loin qu'à mon habitude. Ça devient très animé. J'erre sans but, jusqu'à un coin de rue : j'entends un morceau que j'aime à l'harmonica.

Je m'arrête pour mieux écouter. J'aime les paroles de cette chanson :

Un peu de poisson dans mon plat, plat
Et j'en ferai tout un plat, plat
Si on remplit mon plat, plat

Ah du poisson ! J'ai un petit creux. Je découvre un jeune homme, une assiette en carton à ses pieds, et des passants qui posent leurs sacs de courses, pour chercher dans leurs poches une pièce à lui donner.

Un musicien des rues !

Régulièrement, il récupère quelques pièces dans son assiette et les glisse dans sa poche. Et puis, il chante encore.

Je pourrais le faire moi aussi. Oui, je vais chanter et les passants ouvriront leurs sacs de courses pour me donner un bout du poulet rôti qu'ils viennent d'acheter pour le dîner, ou ils ouvriront leur paquet de saumon fumé pour m'en donner une petite tranche.

Miam ! Miam ! Un peu de poisson dans mon plat, plat !

Direction le prochain carrefour pour commencer ma récolte de cadeaux. (J'ai trouvé dans le caniveau un emballage parfait pour tout ramasser.)

Et je me lance, je chante.

En premier, une charmante petite chanson à propos d'un triste chaton et ses pattes gelées dans la neige.

Et puis, la fameuse chanson qui fait pleurer tout le monde, celle du chaton tigré, coincé dans un arbre qui finit par

mourir de faim. (Non, mais ? Vous avez quel âge ? Vous avez souvent vu des squelettes de chat se balancer en haut des arbres ? Non, jamais.)

Et je finis par ma préférée : *Le Chœur des chats sauvages.*

Aucun succès. Les passants se bouchent les oreilles, et accélèrent le pas. Certains me jettent un regard furieux. Pas un ne s'arrête pour me complimenter : « Quelles jolies chansons ! Quelle voix ! »

Non, ils sont plutôt grossiers.

— C'est horrible ce miaulement !

— Ça devrait être interdit !

— Épouvantable !

— Qui va mettre fin à cet atroce spectacle ?

Et il y en a même un qui a le culot

de ramasser mon emballage pour le jeter à la poubelle, juste un peu plus loin.

J'abandonne ! Je dois trouver une autre idée.

9

Le Chœur des chats sauvages

Cette fois-ci, je ne laisse rien au hasard. Je remonte une jolie rue, je cherche une jolie maison avec une jolie dame qui décharge des jolis sacs de courses de sa jolie voiture.

Il me semble la connaître… Tant pis, c'est parti.

Première chose : se présenter. Je me frotte à ses jambes en miaulant éperdument.

La jolie dame se penche. Elle devient un peu nerveuse.

– On ne s'est pas déjà vus ? Tu ne serais pas ce chat qui s'est bagarré dans notre cour de récréation et qui a fait peur à toutes mes petites sections ?

Ah mince ! Je sais qui c'est ! La directrice de l'école d'Ellie.

Mais tant pis, j'ai faim, et elle a de jolis sacs de courses. Je reprends mes miaulements puissance dix. Ça marche !

– Non, non, je dois me tromper. Tu m'as l'air d'être un chat très gentil. L'autre était horrible. La dame qui s'occupe de faire traverser la rue, juste devant notre école, a encore une marque de griffure, souvenir de ce terrible jour…

J'adopte l'attitude et le regard le plus *sympathique* possible et je la suis dans sa jolie maison. Je continue mes *doux* miaulements pendant qu'elle range ses courses. Elle se penche vers moi.

— Pas de collier.

Bien sûr, pas de collier. Je ne suis pas un débutant !

Elle soupire.

— Bon, je vais te donner à manger, mais juste une fois, d'accord ?

Juste une fois ? Oh, oh ! Tout le monde sait que si tu donnes à manger à un chat une fois, tu te mets un fil à la patte pour le reste de ta vie. C'est fait ! Elle m'ouvre une boîte de thon, et me prend dans les bras pour faire le tour du propriétaire.

Elle me présente son perroquet.

— Regarde, dit-elle en pointant la cage, je te présente Gregory.

Gregory me fait un clin d'œil et je lui en fais un aussi.

— J'espère que vous allez vous entendre.

Je miaule gentiment.

— Gregory est très intelligent, m'informe-t-elle. Je vais t'enfermer dans la cuisine, et si tu entends de drôles de voix pendant que je ne suis pas là, n'aie pas peur. C'est Gregory qui répète tout ce qu'il a entendu.

Je miaule et j'opine du museau.

— Bon, je vous abandonne un moment, je retourne à l'école pour régler quelques petites choses pour la soirée de « Qui est le plus merveilleux des animaux de compagnie ? » qui a lieu jeudi soir. Tu peux rester ici, juste pour une nuit.

Elle attrape son cartable et elle part.

Je m'installe dans la cuisine.

Juste la cuisine.

Je m'ennuie. Je m'ennuie à mourir.

Gregory commence son numéro. D'abord la porte qui grince et la poubelle qui se ferme. Et puis le feu d'artifice. Maintenant, il imite sa maîtresse :

— Oh Gregory. J'ai mal à la tête avec tes horribles bruits. Tu ne veux pas changer pour quelque chose de joli, de calme ?

OK, OK. Mettez-moi au court-bouillon, je lui chante le *Chœur des chats sauvages*. Je miaule d'un côté de la porte de la cuisine et Gregory le sait en un rien de temps. Très vite, nous miaulons en chœur, deux fois plus fort. Gregory apprend très vite. Et quand j'en ai assez de chanter avec lui, ce n'est pas grave, car Gregory chante aussi fort que quatre chats réunis.

Éblouissant !

Le seul problème, c'est que Gregory est tellement content de son nouveau numéro qu'il continue encore deux heures après le retour de la directrice d'Ellie.

Alors naturellement, on me met à la porte.

10
La maison idéale

Je m'installe dans la remise pour la nuit. Au petit matin, je pars à la recherche d'une maison plus confortable. Pendant un bref instant, je pense à retourner chez Ellie. Je suis sûr qu'elle se mord les doigts, allongée sur son lit, le cœur brisé, criant mon nom.

Mais, en chemin, je découvre une affiche collée sur un réverbère.

Puis une autre.

Et une autre.

Et d'autres encore. Toutes les mêmes.

Je me dresse afin de mieux la regarder. Une affiche de chat perdu, avec une photo, du plus féroce, du plus coriace, et du plus ronchon des chats que vous ayez jamais vu.

Je ne peux m'empêcher de penser : mais qui voudrait retrouver un tel voyou !

Je me rapproche de l'affiche.

Mais c'est moi, le voyou !

Un peu plus loin dans la rue, j'aperçois la mère d'Ellie, s'arrêtant à chaque réverbère, pour coller encore d'autres de ces affiches insultantes.

Quel toupet! Premièrement, je ne suis pas un chat perdu. Je suis un chat qui est parti en quête d'une vie meilleure. Et deuxièmement, ils ont choisi la plus horrible des photos. Vraiment pas mon bon profil. Je ne ressemble pas du tout à cette photo. Enfin, pas tout le temps. Pas tous les jours. Juste quand je suis vraiment de mauvaise humeur. Personne ne peut me reconnaître sur cette photo.

Je reprends la route, gaiement. Et enfin, je trouve ce que je cherchais.

La maison idéale.

Elle a de larges rebords de fenêtres pour se prélasser. Le jardin est une jungle. (Un merveilleux terrain de chasse!) La poubelle déborde. Et, cerise sur le gâteau, un joli bassin, rempli de poissons rouges.

Le bonheur ! Un pur bonheur ! Un bonheur parfait ! Ce que j'aime par-dessus tout dans la vie, c'est m'allonger au soleil, à côté d'un joli bassin, et de tremper une patte pour…

Je dois me présenter au propriétaire. Il fait la lessive. Nous entamons une petite conversation.

Lui : Bonjour, petit chat. D'où tu sors ?

Moi : Miaou, miaou. (Je me frotte à ses jambes pour lui faire comprendre que j'ai un petit creux.)

Lui : Tu as faim ? Il me reste un peu de poisson.

Moi : Miaaaoooouuuu.

Lui : (déposant une assiette devant moi) Voilà. Finis-moi tout ça et tu te sentiras beaucoup mieux.

Moi : Lap, lap, lap.

Je suis au paradis. Je fais la sieste sur un rebord de fenêtre. Quand l'air se rafraîchit, je rentre dans la maison, et quand j'ai à nouveau un petit creux, je vais m'installer à côté du bassin.

Mince. Il est aussi dehors, il étend le linge.

Ce n'est pas grave. Les poissons peuvent attendre. Je fais le tour de la maison, direction les poubelles.

Un peu de poisson pour mon plat, plat. Comme dans la chanson. Oui, j'ai trouvé la maison idéale.

Ou, du moins, c'est ce que je croyais. Car à 16h30, mon rêve s'effondre. Une cavalcade dans l'allée. Un groupe de hooligans hurleurs avec des casquettes orange.

— Regarde, sur le rebord de fenêtre, un chat !

— Papa nous a trouvé un vrai animal de compagnie ! Pas comme ces idiots de poissons rouges ! Un vrai chat !

— C'est moi qui le câline en premier.

— Non, c'est moi qui l'ai vu, c'est moi qui le câline.

— Et après c'est moi !

— Et après c'est moi !

— Bon, si je passe en dernier, c'est moi qui l'amène à l'école pour « Qui est le plus merveilleux des animaux de compagnie ? ».

Toujours agréable de se sentir désiré, c'est sûr. Mais le bruit est affreux. Je profite qu'ils soient tous devant moi pour les compter. Cinq casquettes

orange ! Cinq bruyants et vilains enfants.

Beaucoup de grognements et de
crachats pour leur échapper.

Et ils continuent à faire autant de
bruit.

— Méchant !

— Il m'a griffé ! Regarde, je saigne.

— C'est un chat sauvage.

— Qui aurait envie d'amener ça à
l'école ? Je préfère montrer nos adora-
bles poissons rouges.

— Personne n'aurait envie d'avoir
un animal comme lui.

C'est très bien, j'ai décidé de ne pas
rester. La maison idéale ! Non, sûrement
pas.

11

Rentre vite à la maison que je puisse t'étrangler

Je fais un petit somme dans le garage de la maison d'à côté. (OK, OK, entortillez-moi la queue ! J'ai fait un trou dans le joli chapeau qu'un homme avait caché là en attendant l'anniversaire de sa femme. Quiconque aurait piqué un roupillon dans ce garage aurait utilisé ce chapeau comme lit. Il est vraiment douillet. Ce n'est pas ma faute si le ruban s'est emmêlé et déchiré, j'essayais seulement d'enlever les poils que j'avais laissés pendant ma sieste.)

C'est la faim qui m'a réveillé. Dans mon ancienne maison, quand j'avais faim, il me suffisait de m'asseoir bien confortablement dans le passage et de dévisager la mère d'Ellie jusqu'à ce qu'elle se souvienne qu'elle devait me donner à manger.

Malheureusement, ça ne marche pas face à des étrangers pressés. J'essaie de leur barrer le chemin et je m'enroule autour de leurs chevilles.

Mais ces étrangers sont très maladroits. Ils manquent plusieurs fois de tomber sur moi. Ils me crient dessus. J'abandonne, je vais inspecter la pizzeria d'à côté pour voir ce que je peux trouver. (Vous n'aimez pas les pizzas à la saucisse piquante ?)

Quand j'arrive au coin de la rue, qui

je vois en train de coller des affiches, fou de rage : Monsieur Je-suis-dehors-pour-aller-chercher-notre-chat.

Je recule à pas feutrés.

— Minou, minou, je l'entends crier au vent. Tuffyyy, Tuffyyy ! Viens par là que je puisse te faire bouillir dans l'huile. Est-ce que tu sais ce qui passe en ce moment à la télé ? Oui, les meilleurs buts de l'année. Et est-ce que je suis assis tranquillement à les regarder ? Non. D'abord parce que la télé est fou-tue. Et puis, parce qu'on m'a envoyé te chercher. Alors reviens à la maison. Tuffy ! Minou, minou. Reviens que je te gâche la vie comme tu es en train de gâcher la mienne !

Je vous pose la question : si vous entendiez ce genre de tirade, seriez-vous suffisamment bête pour sortir de l'ombre ?

Non, vous ne seriez pas aussi bête.

Et pareil pour moi. Je tourne les talons, vite, loin de lui.

12
Je ne l'ai pas tué !

(Ceci est un avertissement. À ceux d'entre vous qui sont un peu sensibles – je veux dire aux mauviettes qui passent par là –, je conseille de ne pas lire ce chapitre.)

Je marche d'un pas lourd. Les heures passent. Et j'ai faim.

De plus en plus faim.

Tout le monde a pris la peine de bien fermer sa poubelle. Je pars en chasse de jardin en jardin, espérant que quelqu'un aura laissé dehors un peu de lait pour un pauvre hérisson.

Mais non, rien.

Je vais tout au bout de l'allée de jardins.

Rien.

Je soupire, je reviens sur mes pas. Et là, qu'est-ce que je vois, étendu sur l'herbe, entre mes pattes ?

Un oisillon.

Je ne l'ai pas tué ! Vous comprenez ? Il a dû tomber du nid entre mon aller et mon retour. (Peut-être de peur.)

Mais là, il est mort. (Et depuis peu.)

Et j'ai faim.

Je donne un petit coup dans la chose. « Allez ! » Je m'encourage : « Ne sois pas si douillet ! C'est de la viande. Toute fraîche. C'est bon et traditionnel. Et tu as vraiment faim. »

Hélas ! Mes amis, je suis encore loin d'avoir assez faim.

Bella et Tiger avaient raison.
Beurk !

13

Une photo de mon magnifique Tuffy !

J'étais toujours là à essayer de me per-
suader que cet oisillon serait aussi bon
qu'une saucisse, quand une ombre est
apparue au-dessus de moi.

Une femme sort de la maison.

Je la regarde. Elle me regarde. Je la
regarde parce que ses cheveux ressemblent à de la crème Chantilly sur un
cône glacé.

Elle me regarde comme si j'étais un
cadeau tombé du ciel.

— Un chat !

Elle regarde la petite chose entre mes pattes.

— Et un bon chasseur. Un chasseur de souris aussi ? Parce qu'il y a un bruit juste à côté de la porte de la cuisine. Je pense qu'il y a un nuisible chez moi.

On voyait son manque de simplicité juste à sa façon de dire « nuisible ». Mais

je suis fatigué et j'ai faim. Alors, pourquoi pas, certains chats doivent travail-
ler pour être nourris et logés, je veux
bien essayer.

Et j'ai bien eu raison d'essayer. Parce
que la vie dans cette maison est absolu-
ment merveilleuse. Madame Crème-
Chantilly pense qu'elle doit m'affamer

pour que je mange toutes les souris de la maison, mais je sais y faire avec les poubelles de cuisine. À chaque fois qu'elle sort, je saute sur la pédale, le couvercle s'ouvre et là, j'attrape un os de côtelette, ou de poulet. Quand j'ai assez mangé, j'apporte les restes dans le jardin, bien à l'abri derrière ses précieux lupins.

Elle ne soupçonne rien, le bruit a cessé. (Il venait d'une feuille morte coincée sous la porte de la cuisine. Je l'ai décoincée – et voilà le tour est joué – les nuisibles sont partis.)

Trois soirs de suite, elle chante mes louanges :

– Tu es un matou formidable. J'aurais bien besoin d'un chasseur de souris tel que toi dans ma villa en Espagne.

Sa villa en Espagne ? Elle est millionnaire ?

Je pense que oui. En premier, elle m'achète un collier fantaisie avec des perles. Et puis une panière molletonnée. (Miaou !) Ensuite, un bol à eau de luxe. Et le lendemain, elle me conduit chez un photographe pour faire faire mon portrait. Oui ! Pas un portrait vite fait du genre : « Ne bouge pas deux secondes, j'attrape mon téléphone et je fais une petite photo.» Le genre de photos que l'on fait de moi chez Ellie. Madame Crème-Chantilly m'offre un portrait de studio. Le photographe m'installe sur un coussin, et me demande très poliment de regarder l'appareil.

— Minou, s'il te plaît, regarde par ici. Oui, c'est bien, comme ça.

Une douzaine de poses. Et je dois dire que le résultat est très joli. (Bien plus joli que ces horribles affiches «J'ai perdu mon chat».) Je suis tellement content que j'ai envie d'aller montrer à cette famille ingrate ce qu'ils ont perdu. J'attrape une des photos par un coin et (en essayant de ne pas baver dessus d'admiration) je la porte à travers la ville jusqu'à ma vieille maison.

Ellie est assise devant la porte. Elle pleure. Je me cache derrière un buisson.

– Oh Tuffy, sanglote-t-elle. Tu es parti depuis si longtemps ! Tu me manques ! J'aimerais tellement que tu reviennes chez toi !

Chez moi ? Désolé, j'ai un nouveau chez-moi maintenant. Un bien meilleur chez-moi où on me sert des mets délicieux et où les gens m'apprécient à ma juste valeur.

J'ouvre la gueule pour laisser la photo s'envoler dans la brise et atterrir aux pieds d'Ellie.

Curieuse, elle la ramasse, essuie ses larmes pour mieux voir. Et elle hurle :

— Oh non ! Une photo de mon merveilleux Tuffy ! Une photo que je n'ai jamais vue !

Effectivement. Une photo plus jolie, plus élégante que toutes les photos qu'ils ont de moi.

Ellie se précipite dans la maison. Je sors de derrière le laurier pour jeter un coup d'œil par la fenêtre. Ellie agite la photo sous le nez de ses parents.

— Maman, Papa ! Regardez ! Tuffy a été enlevé ! Vous voyez, les ravisseurs nous ont envoyé une photo, une preuve !

La mère d'Ellie semble très concernée. Mais Monsieur Ne-comptez-pas-sur-moi-pour-que-je-mette-la-main-à-la-poche murmure quelques mots désagréables.

— Si ce fichu chat devient une monnaie d'échange, je veux bien être une banane.

Je tiens à rester caché, autrement je lui aurais bien craché dessus. Juste entre les deux yeux.

Ellie pleure de plus belle, je repars. Ne soyez pas triste pour Ellie. Elle ne le mérite pas. Tout est de sa faute. Elle aurait dû penser à combien son gentil Tuffy allait lui manquer avant de regarder ces chatons sur son ordinateur.

Pas la peine de vous en faire pour Ellie.

Pensez plutôt à moi.

C'est ce que je fais. Tout à coup, je pense que si je ne reviens pas vite, Madame Crème-Chantilly aura vidé la poubelle de la cuisine avant que j'aie eu le temps de récupérer mon dîner.

Il faut que je me dépêche.

14
Un truc à faire des cauchemars

Madame Crème-Chantilly passe beaucoup de temps au téléphone à discuter de sa villa en Espagne. Ça ne donne pas du tout envie. Il fait trop chaud en Espagne.

Et qu'est-ce que j'en ai à faire de sa piscine privée ? Je ne suis pas un chat nageur. Non, à chaque fois qu'elle parle de sa villa, je frémis et je me dis que j'ai beaucoup de chance de vivre ici.

C'est pour ça que la découverte de ces papiers a été un terrible choc.

Non je ne fourre pas mon nez dans les affaires des autres, ce n'est pas ça. Tout le monde sait que quand il y a une pile de papiers sur une table, le chat s'installe dessus.

Même si c'est juste un ticket de bus.

Et sur sa table, les papiers étaient très grands. Je m'y suis installé un long moment. (OK, OK ! J'aurais dû tremper mes pattes dans de l'eau savonneuse. Je vais essayer d'enlever les traces de mon dîner, mes pattes sont encore toutes collantes de poulet, c'est une catastrophe.)

C'est pour ça que j'ai regardé les papiers, pour vérifier s'il ne restait pas des petits bouts de poulet bien secs, et les enlever d'un coup de patte.

C'est là que j'ai vu le mot « passeport. »

Et puis le mot « animal domestique. »

Je me soulève un peu et je peux lire la phrase complète : « Demande de passeport pour un animal domestique. »

Je comprends tout. Madame Crème-Chantilly ne m'a pas pris en photo pour ma fière allure. Non, elle voulait un passeport pour pouvoir m'emmener en Espagne, que je devienne son chasseur de souris.

Je lis l'imprimé. Un truc à faire des cauchemars !

Premièrement, vous devez fournir une lettre du vétérinaire qui certifie que votre chat est à jour de ses vaccins. (Vaccins ! À part si vous vivez sur Mars, vous savez que vaccins signifie piqûres. Et ça, je n'aime pas trop. Et aussi vétérinaires. Ces gens-là ne font pas partie de mes amis.)

Après, viennent les détails sur la taille de la cage. Une cage, vous notez, pas une panière confortable. Une cage !

Et puis, quelques lignes expliquent que votre animal voyagera dans la soute à bagages ! Comme une vieille valise !

Il est aussi précisé que vous devez fournir une photo de votre animal de face.

Une photographie de face ? Eh bien maintenant, cette charmante séance chez le photographe, « regarde par ici mon minou, oui beaucoup mieux », me semble bien différente.

Et pour conclure, je lis la dernière ligne, juste avant la signature de Madame Crème-Chantilly.

La date du voyage.

Elle a écrit 5 mai.

5 mai ? Je lève les yeux vers le calen-
drier.

Nous sommes le 4 !

15
Une boule de poils

Vous avez déjà vu une tornade ?

Même si la réponse est oui, vous n'avez jamais vu quelqu'un sortir aussi vite de cette maison. Je suis une fusée. Je suis une boule de poils qui franchit la fenêtre ouverte en un éclair. Je suis tellement rapide que, en me retournant, je me vois encore en train de bondir.

Voilà mon erreur. J'aurai dû regarder droit devant moi. Avant même que je reprenne mon souffle, je sens que l'on m'attrape et j'entends une voix d'homme :

— On prend la fuite, mon matou ?
Je te tiens !

Je tourne la tête pour mieux le voir.
L'homme porte la même tenue blanche
que notre vétérinaire dans son cabinet.

Je me tortille désespérément, mais il
me tient de plus en plus fort.

— Arrête de gigoter, matou ! Je ne
suis pas venu jusqu'ici pour repartir sans
mon patient.

Patient ? Victime plutôt. J'ai déjà tous mes vaccins. Je griffe. Je crache. Je miaule fort. Je me lance dans un combat sanglant. Mais cet homme est un maître quand il s'agit de tenir un animal tortillant. Avant même que je puisse tenter quoi que ce soit, il m'emmène jusqu'au patio ensoleillé de Madame Crème-Chantilly, avec ses dents il attrape une serviette sur la corde à linge, et m'enroule dedans.

Moi ! Enroulé bien serré dans une serviette rose ! Je ressemble à une saucisse qui se débat.

Petit génie, tu te demandes encore pourquoi je déteste les vétérinaires ? Ils vous attrapent à chaque fois. Je pense qu'ils suivent des cours pour apprendre à saucissonner de pauvres chats sans défense dans des serviettes et ensuite leur faire avaler des comprimés et les piquer avec des aiguilles.

Il sonne. Madame Crème-Chantilly abandonne un instant ses bagages et ouvre la porte.

Mon ravisseur me brandit.

— Votre chat est très malin. Il a tenté de s'échapper.

Madame Crème-Chantilly pose ses deux mains sous son menton.

— Oh non ! dit-elle. Dieu merci, vous l'en avez empêché. S'il n'a pas tous ses vaccins, nous ne pouvons pas partir, et notre avion est demain.

— Aucun problème, se vante notre visiteur-le-pas-bienvenu. Je vous le ramène ce soir, avec le certificat dont vous avez besoin.

J'essaie de leur faire comprendre que mes vaccins sont à jour. Mais le seul bruit qui sort de ma gueule, c'est un très fort miaulement.

Et là, une chose épouvantable me tombe dessus.

Madame Crème-Chantilly se penche vers moi et m'embrasse sur le nez.

Moi ! Tuffy ! Sur le nez ! Un baiser à l'eau de rose !

Je n'aurai qu'un mot. Beurk !

16
Je n'ai aucun espoir d'être délivré

En sifflant joyeusement, le vétérinaire me conduit jusqu'à sa camionnette, déroule la serviette rose, et me jette

dans une cage. Il pose la cage sur la place du passager.

Alors oui, faites-moi bouillir dans un jus de lapin. J'ai soufflé et j'ai craché.

— Du calme, me dit-il d'un ton réprobateur.

On roule un ou deux kilomètres, et son téléphone portable sonne. Le vétérinaire se gare sur le bas-côté et décroche.

Je n'entends qu'une partie de la conversation.

— Alors Arif ? C'est quoi ton problème ?

Arif doit avoir expliqué son problème car mon ravisseur répond :

— Tu as besoin d'un chat.

Excusez-moi mais il doit être en conversation avec un fou. Qui peut bien avoir besoin d'un chat ? Nous ne sommes pas utiles. Nous coûtons pas mal en nourriture. Nous abîmons les meubles. Nous faisons ce que bon nous semble.

Alors je repose la question : qui peut bien avoir besoin d'un chat ?

Cet Arif a besoin d'un chat.

J'entends le vétérinaire téléphoner à Madame Crème-Chantilly et lui demander si ça ne l'embête pas de me prêter à un autre vétérinaire. « Juste pour une demi-heure, et je peux vous dire que votre matou sera parfait pour le rôle. »

Vous entendez ? « Parfait. »

Madame Crème-Chantilly accepte, apparemment, puisque quelques minutes plus tard, nous retrouvons Arif au parc.

— Fais attention, prévient le vétérinaire en tendant la cage à Arif. Il est
d'une humeur infecte. Mais c'est le seul
chat disponible. Je dois lui faire tous ses
vaccins ce soir afin qu'il puisse s'envoler demain pour l'Espagne.

— Si l'avion arrive à décoller !

Je ne comprends pas la blague, mais
eux, ça les fait rire.

— Fais bien attention, prévient-il à
nouveau, ce chat est terriblement féroce.
Ne laisse personne ouvrir la cage.

Merci beaucoup. Je croyais que
j'étais « parfait ». On ne peut pas dire
qu'Arif soit un très bon porteur de cage.
Je tangue d'un côté à l'autre, comme
dans un bateau par grand vent. Je lui
rends la pareille : je crache et je passe
une patte à travers les barreaux afin

d'attraper son pull. Mes griffes tirent des fils et je disparais sous un enchevê-trement de laine.

Mais le cœur n'y est pas. Je suis mal-heureux. Vous me connaissez, je ne suis pas du genre à me complaire dans le malheur, ni à vivre en ayant peur de tout ce qui risque d'arriver à chaque coin de rue. Mais aujourd'hui, j'ai vraiment le cafard. Je suis parti avec tant d'espoirs : une vie meilleure, une maison plus confortable. Des gens qui m'apprécieraient à ma juste valeur. Des gens qui sauraient à quel point je suis un chat beau, vaillant et ingénieux.

Regardez-moi. Coincé dans une cage. Bientôt obligé de recevoir un tas de vaccins dont je n'ai même pas besoin. Et puis prêté à n'importe qui comme une vieille échelle ou des câbles de démarrage oubliés dans un grenier.

Et je ne mentionne pas les insultes. Ellie ne dirait jamais que je suis une « bête terriblement féroce » ou « d'une humeur infecte ». (Elle dit souvent que je suis « plein d'entrain ».) Jamais elle ne me prête, ou ne me balance dans une cage, ou ne me saucissonne dans une serviette rose. Et jamais, elle ne me menace de m'emmener en Espagne, pour toujours, loin de mes vieux amis.

Mes amis. Mon cher Tiger ! Ma Bella qui aime tant s'amuser ! Mon tendre Snowball ! Où sont-ils en ce moment ?

Ils font les imbéciles quelque part…

Ils doivent bien s'amuser.

Sans moi.

Ah, si seulement je n'avais pas été aussi susceptible, si seulement je ne m'étais pas enfui ! Pourquoi ai-je laissé Monsieur Je-suis-bien-content-de-voir-ce-chat-partir gagner ? Comme j'ai été bête d'être jaloux de cette petite boule de poils de Tinkerbell ou de ce minuscule bébé.

Un bébé ! Je suis sûr que ce bébé ne riait pas de moi finalement. Ce bébé riait avec moi.

C'est tellement différent.

Je me suis trompé. Et je ne peux m'en prendre qu'à moi-même et à ma bêtise. Et il ne me reste plus aucun espoir d'être délivré. Pas un.

17

Tu n'es pas au courant ?

Soudain, à travers les fils détricotés qui occupent presque toute ma cage, j'aperçois un endroit familier.

Oui, l'épicerie de Madame Patel. (Elle déteste quand je fais la sieste sur son étal de légumes.) Arif continue d'avancer et je reconnais le comptoir à pizzas. (Pas besoin de me demander ce que je veux, je prends toujours saucisse piquante.) Et là, je suppose que l'on n'est plus très loin de l'école d'Ellie : devant moi, la dame chargée de faire traverser les enfants.

Derrière moi, j'entends des voix.
Des enfants attendent de traverser la
rue, en parlant gaiement.

Mon cœur bondit dans ma poitrine.
Jeudi ! La soirée « Qui est le plus merveilleux des animaux de compagnie ? » Ellie
n'est peut-être pas loin. Je pourrais miau-

ler très fort, et elle me reconnaîtrait. Finalement, il y a un espoir d'être délivré.

Non ! Mes espoirs sont réduits à néant. Je surprends une conversation.

— Tu es au courant pour la pauvre Ellie ?

— Pauvre Ellie ? Pourquoi ? Elle ne vient pas ce soir ?

— Non. Tu n'as pas appris la nouvelle ? Son animal de compagnie a été enlevé.

— Qui ? Tuffy ? Son chat merveilleux dont elle parlait sans cesse ?

— Oui, celui-là.

— Elle disait qu'il était très beau.

— Et fort.

— Et intelligent.

— Il lui manque tellement. Elle a dépensé tout son argent de poche pour

imprimer des affiches de « J'ai perdu mon chat », elle en a toujours une dans la main.

— Peut-être qu'elle va venir ce soir et en distribuer à tout le monde.

— Oui peut-être. Mais je ne crois pas. Ça serait trop dur pour elle de nous voir si contents avec nos animaux. Elle

ne le supporterait pas. Même pas pour son bien-aimé Tuffy.

— Pauvre, pauvre Ellie.

J'ai le moral dans les chaussettes. Si Ellie ne supporte pas d'assister à cette soirée, alors c'est « pauvre, pauvre Tuffy ».

18
Toujours les mêmes petites bébêtes

Les enfants se précipitent dans l'école. J'écarte les bouts de laine et je vois la directrice de l'école d'Ellie. Elle court pour accueillir Arif.

— Enfin, vous voilà ! J'étais inquiète. Tout le monde est là avec son animal. J'ai même apporté Gregory, mon perroquet. Et tous les enfants ont très envie de vous entendre leur expliquer pourquoi il est important de bien s'occuper de son animal de compagnie.

Oui, bien s'occuper de son animal

de compagnie. Pas le balancer dans une cage.

Arif esquisse un petit sourire.

– Je suis vraiment navré. Ça m'a pris plus de temps que prévu de trimbaler ce gros morceau depuis le parc.

Vous entendez ça ? « Ce gros morceau. » Vraiment charmant.

La directrice est trop pressée pour prendre le temps de regarder derrière tous ces bouts de laine. Donc nous rentrons dans l'école ensemble. Arif-le-sans-cœur, la directrice d'Ellie-dingue-de-son-perroquet. Et moi.

Arif lâche la cage sur la table, à côté d'autres animaux. Je jette un coup d'œil à ce rassemblement. Minable ! Un couple de bébés souris effrayées, recroquevillées au fond de leur cage. (Je les ai juste regardées, je n'ai pas fait mine de les attraper.) Un bocal de poissons idiots ramassés dans le bassin par notre gang à casquettes orange. (Le garçon qui a tenté de m'attraper est toujours en train de frotter ses griffures. Je suis bien content.) Un lapin tellement vieux qu'il a l'air déjà mort. Gregory le perroquet. (Je pense que c'est lui, sa cage est recouverte d'un tissu.) Un cochon d'Inde ou deux. Un serpent. Une famille de hamsters. Un chien stupide deux fois plus petit que moi. Deux gerbilles gémissantes.

Toujours les mêmes petites bébêtes.

Au moins, ça me console, je serai la star de la soirée. Après tout, Arif va faire un discours, et il est venu avec moi. Il doit penser que les chats sont des ani-

maux de compagnie vraiment spé-
ciaux.

Arif inspecte le bocal, les boîtes, il
va, il vient. Il fait l'éloge des poissons :
«Très bien, ces poissons n'ont pas été
trop nourris, ils sont en pleine forme.»
Il roucoule à côté des gerbilles : « Ces
petites choses, on a toujours envie de les
câliner, mais il faut le faire gentiment.»
Les chiens : « Il faut faire attention à
bien les dresser. »

Bla, bla, bla. Encore et encore au
sujet des animaux domestiques et
comment s'en occuper correctement.
(Essaie ça, Arif : ne les balance pas dans
une cage !) Son discours est horrible-
ment ennuyeux. Toutes ces choses
entendues mille fois au sujet des cages
propres, et de faire attention à ce que

ces pathétiques animaux qui ne savent pas se débrouiller aient toujours de l'eau fraîche. (Faites-moi confiance, pour éviter tout problème, prenez un chat!)

Je pourrais miauler. Mais je suis déterminé à ne commettre aucune erreur, pas le moindre mini miaulement de peur qu'il s'énerve et qu'il me cache sous la table, loin des regards. Vous voyez, je fais tout ça, même si Ellie n'est pas là. Oui, parce que quand Arif va arriver à ma cage, qu'il va enlever tous les bouts de laine, quelqu'un de la rue des Acacias pourrait me reconnaître et crier: «Voleur de chat! C'est le chat d'Ellie! Rendez-le-lui!»

Et je serais délivré.

Enfin c'est mon tour. Arif tire sur les

bouts de laine pour que tout le monde puisse bien me voir. Et il me montre du doigt.

— Regardez, dit-il, hochant la tête tristement. Regardez ce qui arrive quand on ne s'occupe pas correctement de son animal de compagnie.

Je n'en crois pas mes oreilles.

Il continue sa démonstration.

— Regardez bien ce chat. Il a sûrement été élevé dans une gentille famille… Son pelage est soyeux et épais. Ses yeux, brillants. Ses coussinets, parfaits.

Ah, merci Arif. Merci d'énoncer des évidences. Je suis un magnifique spécimen de chat.

— Mais… dit Arif.

Je vous demande pardon, il y a un

mais? Je le fusille du regard. Vous le croyez? Il a le culot de continuer.

— Mais cet animal est l'exemple parfait de tout ce que nous ne voulons pas pour nos animaux. On a permis à ce chat de se laisser aller. Dernièrement, il a été trop, beaucoup trop nourri. Et ça se voit.

Il agite la cage sous le nez de tous. Tout le monde reste bouche bée. Quel culot! D'accord, la poubelle de Madame Crème-Chantilly était une véritable corne d'abondance. Mais personne ne peut grossir autant en si peu de temps.

Non personne.

Arif ne s'arrête pas là.

— Regardez ce chat! Ce représentant de la race féline a basculé du côté dodu. Le chat qui se trouve dans cette cage est un triste avertissement. Regardez-le de plus près. Il faut faire attention au régime alimentaire de votre animal. Ça me fait de la peine de dire ça, mais ce chat est gros.

19
Une nouvelle version
du Chœur des chats sauvages

OK, OK ! C'est ça, regardez-moi méchamment et menacez-moi de votre doigt. Je l'ai griffé. Bien fort. Oui pendant qu'il continuait à expliquer comment je m'étais laissé aller, comme j'étais gros, et que, si je continuais, j'allais avoir une crise cardiaque, j'ai sorti discrètement une patte, j'ai préparé mes griffes, et je me suis attaqué à son poignet.

Une bonne blague. Il hurle :

— Mais, ouille, ouille, ouille !

Il lâche la cage. Ça fait mal. Je me cogne la tête aux barreaux. Je le griffe encore une fois. À la cheville.

Cette fois-ci, il hurle encore plus fort.

— Mais, ouille, ouille, ouille !

Et devinez ce qui se passe. Ça réveille Gregory, le perroquet. Ce n'est pas de ma faute. Pauvre perroquet, comment peut-il savoir, dans le noir, qu'il n'est pas chez lui et que nous n'avions pas décidé de faire une reprise du *Chœur des chats sauvages* ?

Donc Gregory entonne les quatre couplets.

Fort. Très fort. Si fort que la plupart des spectateurs, qui n'aiment pas la musique apparemment, abandonnent leurs jus et leurs gâteaux pour se boucher les oreilles. Derrière moi, les hamsters enfoncent la tête dans leur litière pour essayer de ne plus entendre. Le chien gémit et bave. On dirait que même le serpent grimace de douleur.

Je chante avec lui, c'est ma chanson préférée après tout.

C'est là que la plupart des spectateurs craquent. Ils attrapent leurs manteaux, et sortent en vitesse. (De grossiers personnages.) Gregory chante toujours. Il change de voix : on dirait que huit personnes entonnent ce formidable chœur. Et maintenant, même les gens qui ont des animaux domestiques sur scène se précipitent pour attraper les cages, les bocaux, les boîtes. Il y a un embouteillage à la sortie, parce que deux personnes se sont installées juste devant la porte, elles essayent de retenir les gens pour leur donner une affiche.

Et l'une d'elles est Ellie ! Oui ! Ellie ! Je l'entends crier à la foule qui tente de sortir au plus vite.

— S'il vous plaît, prenez cette affiche, prenez une photo de mon trésor. J'ai perdu mon chat bien-aimé. Téléphonez-moi si jamais vous l'apercevez.

Même pas besoin de me tordre le cou pour être sûr que c'est ma photo qu'elle tend à tout le monde, et pas la photo d'un chaton au doux nom de Douce-pensée ou Miss-parfaite. J'ai confiance en Ellie, et c'est mon unique chance. Je lève la tête et je chante encore plus fort :

— *Miaou ouille, miaou ouille, miaou ouille, miaaaooouuu, miaaaooouuu…*

Ellie connaît cette chanson. Elle l'a souvent entendue les soirs de pleine lune. Elle va reconnaître ma voix. Tout le monde court vers la sortie, et soudain Ellie avance à contre-courant de la foule, elle court, semant ses affiches.

Droit vers moi.

– Tuffy ! Oh Tuffy ! Je t'ai enfin retrouvé ! Merci !

Je miaule comme un fou.

Elle attrape la cage, mais avant qu'elle puisse l'ouvrir, Arif s'interpose.

– Arrête tout de suite ! Ne laisse pas sortir ce chat ! Il est violent.

Ellie le regarde stupéfaite.

– Il n'est pas violent ! Je le sais bien, c'est mon chat !

Arif secoue la tête.

– Non, non, tu te trompes. Beaucoup de chats se ressemblent, celui-là n'est sûrement pas le tien. Il est sur le point de se faire vacciner et demain, il part pour l'Espagne.

Ellie pose sa main sur la cage.

— Non, ce n'est pas vrai. Il s'appelle Tuffy, et il a déjà été vacciné. Et c'est mon chat. Un chat vraiment intelligent qui a chanté sa chanson favorite pour que je le reconnaisse.

— Ce n'est pas ton chat !

— Si c'est mon chat, et je peux le prouver.

Plus rapide que l'éclair, elle ouvre la cage.

Je ne suis pas du genre à faire des câlins. Mais quand on vient de vous porter secours, vous pouvez laisser votre fierté au vestiaire. Je me jette dans les bras d'Ellie, et je ronronne. Je fais toutes ces choses gnangnan et embarrassantes que font certains chats.

— Vous voyez ? Il n'est pas violent !

Il est merveilleux, gentil, intelligent. Et vous ne pouvez pas le prendre.

Arif argumente. Mais la mère d'Ellie se plante devant lui et dit d'une voix haletante :

— C'est notre chat. On nous l'a volé il y a quelques semaines. Nous avons collé des photos dans toute la ville. Demandez autour de vous.

Ellie me serre encore plus fort.

— Je vous l'avais dit, crie-t-elle à Arif.

Elle m'enlève mon collier fantaisie, et le jette sur la table.

— Vous pouvez garder le collier et la cage.

J'ai bien envie de me battre, mais cette fois-ci, je préfère m'abstenir. Je me contente de regarder Arif, l'air de dire :

«Toi et ton ami le vétérinaire vous pouvez aller brûler en enfer. »

Madame Crème-Chantilly doit admettre au téléphone qu'elle m'a littéralement kidnappé, quelques jours plus tôt. Arif arrête de discuter, et il laisse Ellie et sa mère me ramener chez moi triomphalement.

20

Mon trésor, mon merveilleux et incroyable Tuffy !

Dès que l'on s'approche de la maison, je saute des bras d'Ellie. (Il ne faut pas laisser les enfants prendre de mauvaises habitudes.)

Et, d'un pas décontracté, je rentre chez moi. Je passe sous de très belles et brillantes feuilles vertes.

– Belle allure, chère plante !

Je salue la poêle à frire, le piano.

– Hé ! les gars, je suis de retour.

Je monte saluer le réveil et les chaus-

sons. Ellie me court après avec mon
vieux collier.

   — Oh Tuffy ! je suis si contente que
tu sois là.

Elle me remet mon collier. Il est encore mouillé par toutes ses larmes.

Elle frotte son visage contre mon pelage.

— Oh mon merveilleux Tuffy ! Mon Tuffy que j'aime tant, depuis si long-temps, et que j'aimerai toujours. C'est si bon que tu sois de retour et qu'il ne te soit rien arrivé.

Je la laisse encore une minute me serrer dans ses bras avant de filer, véri-fier ce qui reste dans la poêle à frire. (Ellie et sa mère étaient encore dehors quand cet horrible vétérinaire a expli-qué que j'étais gros. Et j'ai un petit creux.)

21

Vous ne m'oublierez jamais

Tiger et Snowball ont transformé une plaque d'égout en balançoire, et s'amusent quelques maisons plus bas.

— Salut, je dis, en me mettant du côté de Bella pour compliquer un peu le jeu. C'est moi, je suis revenu.

— Qui êtes-vous ? demande Tiger.

— On se connaît ? demande Bella.

— Désolé, je ne vous remets pas, dit Snowball.

— Allez les gars, vous aviez promis de ne jamais m'oublier.

Ils arrêtent tout de suite leur mauvaise blague. Je leur raconte mes aventures et ma folle escapade. Ils m'aident à enlever mon collier.

— Non mais regarde-moi ce collier, il est trempé, commente Tiger. Je ne suis pas surpris. Ellie a pleuré pendant des jours entiers.

— C'est vrai, ajoute Snowball. Sa mère a bien essayé de la consoler en lui offrant un chaton qui ressemblait énormément à Tinkerbell…

Tiger s'empresse de finir l'histoire :

— Mais Ellie a pleuré encore plus fort.

C'est bon d'entendre ça.

Nous jouons aux anneaux avec le collier, pour le faire sécher. Et les gars m'aident à le remettre. Je pense qu'il est

plus raisonnable de le porter quelque temps… jusqu'à ce que Madame Crème-Chantilly s'envole pour l'Espagne et trouve un autre chasseur de souris.

Oui, c'est plus raisonnable.

Et puis ça me fait plaisir.

Je suis de retour chez moi. Auprès d'Ellie.

LE CHŒUR DES CHATS SAUVAGES

Miaou ouille, miaou ouille, miaou ouille,
Miaou ouille, miaou ouille
Miaaaooouuu, miaaaooouuu,
Miaaaooouuu, miaaaooouuu !
Miaou ouille, miaou ouille, miaou ouille

(piano – doucement)

Miaou ouille, miaou ouille, miaou ouille,
Miaou ouille, miaou ouille
Miaaaooouuu, miaaaooouuu,
Miaaaooouuu, miaaaooouuu !
Miaou ouille, miaou ouille, miaou ouille

(fortissimo – très fort)

Miaou ouille, miaou ouille, miaou ouille,
Miaou ouille, miaou ouille
Miaaaooouuu, miaaaooouuu,
Miaaaooouuu, miaaaooouuu !
Miaou ouille, miaou ouille, miaou ouille

© Tuffy et sa bande.